DE FIESTA EN
INVIERNO

GW00643424

DE FIESTA EN INVIERNO

- Ya vienen los Reyes

- El disfraz es el rey

- Una ciudad en llamas

DIFUSIÓN

Centro de Investigación y Publicaciones de Idiomas
C/Trafalgar, 10, entlo. 1ª 08010 Barcelona
E-mail: editorial@difusion.com
www.difusion.com

Colección **"Venga a leer"**
Serie «Aires de fiesta»

Autores:
Josefina Fernández y Clara Villanueva

Diseño de la colección y cubierta:
Angel Viola

Ilustración de la cubierta:
Jaume Cluet

Elaboración de ejercicios:
María José Gelabert

© DIFUSION, S.L.
  Barcelona, 1995

1.ª edición, 1995
2.ª edición, 1998
3.ª edición, 2001

ISBN: 84-87099-95-5
Depósito Legal: M-13581-1995
Impreso en España - Printed in Spain

YA VIENEN LOS REYES

La Navidad

Las miradas de cientos de niños están fijas en el cielo de Madrid. Desde una avioneta tres figuras se lanzan al aire y sus paracaídas se abren. Los niños aplauden con entusiasmo. Amy Randall es testigo de la insólita llegada de los Reyes Magos, que pone punto final a la Navidad española.

La Navidad es una de las pocas fiestas que toda España celebra de manera parecida. Es sobre todo una fiesta familiar. La invitación de mi amiga Carmen a pasar la Navidad en casa de su familia, en Madrid, me permitirá conocer desde dentro las fiestas navideñas.

Carmen, como muchos españoles, tiene una familia muy extensa. A casa de sus padres no llegamos sólo nosotras dos. Toda su familia, sus hermanos, sus sobrinos y las dos tías solteras, llegan para pasar unos días juntos.

El 24 de diciembre es Nochebuena, víspera (1) del Nacimiento de Jesús. Por la tarde, los niños se divierten montando el Belén, uno de los símbolos de la Navidad española. El Belén es una construcción que representa un paisaje con figuras de pastores, ovejas, los Reyes Magos (2) con sus camellos, etc. El elemento principal es el establo (3), que se llama portal, con las figuras de la Virgen María, San José, el Niño en el pesebre (4), el buey y la mula. Se instala en las casas, en las iglesias, en los colegios, y hasta en los centros comerciales.

Por la tarde vamos a ver un Belén viviente. En estos Belenes, las figuras son personas, sobre todo niños. En algunos lugares como en Arcos de la Frontera, en la provincia de Cádiz, una parte del pueblo, decorada para la ocasión, se convierte en escenario del Belén viviente.

A las diez de la noche nos sentamos a cenar. La cena es muy especial: mariscos, pescados, carne y, de postre comemos: turrón, mazapán y mantecados, los dulces típicos navideños. Después de cenar, los pequeños cantan villancicos (5) acompañados de zambombas y panderetas (6). Los mayores me cuentan historias de tradiciones navideñas. En Jerez, por ejemplo, los gitanos celebran las zambombás. Son fiestas que duran noches enteras, en las que las gitanas bailan en la calle o en los patios de sus casas al compás de villancicos, de ritmos que recuerdan la música árabe. En Lesaka y otros pueblos de Navarra, el Olantzero, un muñeco de trapo, representa a un carbonero que baja de las montañas para dar la buena nueva. Los jóvenes del pueblo pasean al muñeco en hombros por todas las calles, moviéndolo de un lado a otro.

Durante estos días hay mucha actividad en la casa. Niños que corren por los pasillos, visitas de amigos y familiares, largas sobremesas (7). En una de ellas comento una extraña noticia que he leído en el periódico: un famoso jugador de baloncesto quiere dejar ese deporte por la hípica (8).

-"¡Qué extraño!", digo, "los jockeys son todos muy

bajos, y este hombre mide dos metros". Todos sueltan una carcajada y me dicen: "¡Inocente, inocente!" Entonces lo comprendo todo. Hoy es 28 de diciembre, es el día de los Santos Inocentes. Este día los españoles se gastan bromas y en la radio, en la televisión y en los periódicos hay siempre noticias falsas.

Casi sin darnos cuenta, llega la Nochevieja, la última noche del año. Esa noche salimos a cenar a casa de unos amigos, y después corremos para llegar a la plaza de la Puerta del Sol (9), que está abarrotada de gente (10). Todos llevamos una bolsita con doce uvas, las famosas uvas de la suerte, otro de los elementos típicos de la Navidad española.

En la Puerta del Sol cantamos y bailamos rodeados de miles de personas. Miramos de vez en cuando el reloj de la torre esperando el momento de las campanadas que anuncian el fin de año. Carmen me recuerda qué debo hacer con las uvas: "Cuando suenen las campanas debes comerte un grano al mismo tiempo que escuches cada campanada. Si puedes comerte las doce, tendrás suerte durante el año que acaba de empezar. Concéntrate porque es muy difícil, casi siempre da mucha risa tener la boca llena y mirar a los demás".

Miro a mi alrededor y observo que todo el mundo tiene sus doce uvas en la mano, esperando con impaciencia la señal del reloj. Cuando comienzan a sonar las doce, empezamos a comer las uvas. Al quinto grano, tenemos la boca tan llena que es casi imposible tragar. Hacemos caras raras y sonidos ridículos. Es una situación muy cómica. Me imagino en estos momentos a España entera comiendo las uvas al mismo tiempo, mientras siguen por televisión la retransmisión de las campanadas desde la Puerta del Sol. Y después de las uvas, toda una noche de fiesta para dar la bienvenida al Año Nuevo.

Pero las celebraciones no terminan cuando acaba el año, todavía queda el día más importante, sobre todo para los niños. El día 6 de enero, es el día de los Reyes Magos. Ese día, dice la tradición, los Reyes llegaron en camello, guiados por una estrella, hasta el Niño Jesús para llevarle tres regalos: oro, incienso y mirra. Por eso los niños reciben los regalos ese día y en los belenes, van acercando las figuras de los Reyes al portal.

El día 5 por la tarde, en toda España, se celebra la llegada de los Reyes. En unos sitios llegan por mar; en otros en tren o en caballo. Este año en Madrid, llegan en paracaídas. Los niños esperan, mirando al cielo, a la avioneta sobre el parque de la Casa de Campo (11). Los Reyes se lanzan de la avioneta en paracaídas multicolores, entre los aplausos de los niños. Melchor y Gaspar van vestidos como reyes medievales, con túnicas doradas, coronas y capas de terciopelo rojo. Baltasar es el rey negro y va vestido de sultán, con babuchas (12) y turbante (13).

Cuando llegan al suelo les esperan las carrozas. Comienza la cabalgata, un desfile que pasea por las calles principales. Miles de personas se disfrazan y acompañan a los Reyes, que van tirando caramelos a los espectadores.

Esa noche los niños se acuestan temprano. Junto a los zapatos, dejan agua y paja para los camellos y dulces y licor para los Reyes. A las cinco de la mañana, me despiertan las voces de los niños de la casa, que no pueden esperar para ver los regalos.

Con los regalos de los Reyes Magos se acaban las fiestas. Los niños vuelven al colegio. Y yo vuelvo a mi trabajo. Con el nuevo año el calendario de fiestas empieza otra vez. Me queda mucho que ver y mucho que escribir en este país de fiestas y tradiciones fascinantes.

GLOSARIO

1.- víspera: el día anterior a otro.

2.- Reyes Magos: los tres sabios que según la tradición, visitaron al Niño Jesús en Belén.

3.- establo: lugar cubierto donde se guardan los animales. Según la tradición, la noche que nació Jesús, nadie quiso alojar a San José y a la Virgen, que sólo pudieron refugiarse en un establo.

4.- pesebre: cajón o depósito donde se les pone la comida a los animales. La tradición dice que al nacer Jesús, como no tenía cuna, durmió en un pesebre.

5.- villancicos: canciones que se cantan en Navidad.

6.- zambomba y pandereta: instrumentos musicales utilizados en las fiestas de Navidad para acompañar a los villancicos.

7.- sobremesa: tiempo que viene después de una comida, en la que los que han comido juntos siguen reunidos.

8.- hípica: deporte que consiste en montar a caballo.

9.- Puerta del Sol: plaza situada en el centro de Madrid y que se considera tradicionalmente el centro geográfico de España.

10.- estar abarrotada de gente: estar totalmente llena de gente.

11.- Casa de Campo: nombre de uno de los parques madrileños más populares.

12.- babucha: zapatilla usada por los árabes.

13.- turbante: tela larga que se enrolla en la cabeza, también utilizada por los árabes.

A VER SI HAS ENTENDIDO

1.- ¿Puedes completar las informaciones?

La Navidad es una ....

Toda la familia se reúne ....

El 24 de diciembre es ....

Los niños montan ....

Las figuras que componen el Belén son:....................................

2.- Completa los cuadros con las informaciones correspondientes, según el texto.

Para la cena de Navidad ¿Qué se come?	Después de cenar ¿Qué se hace?

3.- Contesta a las preguntas, según el texto.

¿Qué pasa el día 28 de diciembre en España?

¿Qué le ha pasado a Amy Randall?

¿En tu país también es igual?

4.- ¿Sabes cuáles de estas informaciones son correctas?

-La Nochevieja se celebra el 31 de diciembre.

-Los españoles después de cenar se comen las uvas.

-En la Puerta del Sol hay un reloj.

-Los que no van a la Puerta del Sol no comen uvas.
-Se comen las uvas cuando suenan las doce campanadas.

5.- Relaciona las informaciones, según el texto.

El día seis de enero ○   ○ son: oro, incienso y mirra

Los Reyes Magos ○   ○ acercan las figuras de los
                              Reyes al portal

Los regalos de los Reyes ○   ○ es el día de los Reyes Magos

Ese día los niños ○   ○ reciben regalos

Los niños ○   ○ llegaron en camello

6.- ¿Verdadero o falso?

	V	F
El día 5 de enero llegan los Reyes Magos	☐	☐
Los Reyes Magos siempre llegan por mar	☐	☐
Melchor es el rey negro	☐	☐
Los niños esperan la llegada con impaciencia	☐	☐
La cabalgata es un desfile	☐	☐

7.- Contesta a las preguntas, según el texto:

-¿A qué hora se acuestan los niños la noche de Reyes?
-¿Qué se deja para los camellos?
-¿Qué se suele dejar para los Reyes?
-¿Por qué los niños se despiertan pronto el día 6 de enero?

EL DISFRAZ ES EL REY

Los Carnavales de Cádiz

Dos monjes anuncian el fin del mundo, una tribu de indios baila la danza de la lluvia, varios canguros dan saltos entre la multitud... Los Carnavales han empezado y la ciudad entera se disfraza (1). Amy Randall se maravilla ante el humor y la imaginación de una ciudad que vive durante diez días sólo para divertirse.

Es la última semana de febrero. Los Carnavales han llegado a Cádiz y mi amiga Teresa me ha invitado a pasarlos con ella. He leído tanto sobre el humor y la gracia de estas celebraciones, que creo que es la mejor manera de empezar mis reportajes sobre las fiestas españolas.

Cádiz es posiblemente la ciudad más antigua de Europa. Sus casas señoriales recuerdan los tiempos de esplendor, en el siglo XVII, cuando todos los barcos que venían de América a España llegaban a su puerto cargados de mercancías (2).

Llego a la ciudad el jueves, un día antes del comienzo oficial de las fiestas y por la mañana paseo por las calles estrechas del centro, donde parece haberse detenido el tiempo.

-"¿De qué te vas a disfrazar?", me ha preguntado Teresa después de saludarme.

Cuando le contesto que no he tenido tiempo de pensarlo, me dice sorprendida:

-"¿Y tú quieres conocer los Carnavales de Cádiz? Tienes que disfrazarte. Bueno, no te preocupes, ya buscaremos un disfraz para ti".

Teresa, como buena gaditana (3), lleva pensando en el carnaval desde hace meses y tiene su disfraz preparado. En toda la ciudad se hacen los preparativos desde mucho tiempo antes de la fiesta: los comerciantes venden cientos de metros de telas para los disfraces, y todo tipo de objetos típicos de esos días: pitos (4), matasuegras (5), confetis (6) y serpentinas (7). En todas partes se oyen por la radio canciones de carnaval.

Los Carnavales son fiestas de tradición cristiana pero relacionadas en su origen con la llegada de la primavera. En Cádiz, la historia del carnaval comienza en el siglo XVII. En esa época se establecieron allí muchos comerciantes italianos, y con ellos llegaron las tradiciones del carnaval de Venecia.

Pero a partir del siglo XIX, los carnavales de Cádiz desarrollan un estilo propio muy peculiar. El ingrediente más importante en estos carnavales es el humor, que se manifiesta, sobre todo, en unas canciones que los gaditanos inventan cada año para cantar en estos días. Estas canciones cuentan y critican con mucha gracia anécdotas o hechos ocurridos durante el año.

Nada ni nadie escapa a la crítica: el alcalde, los concejales, el gobierno, los programas de la tele, las nuevas modas, los personajes famosos. Y nadie protesta por las críticas, en estos días todo está permitido.

El jueves por la noche, se celebra la gran final del

concurso de canciones en el Teatro Falla. Por unas horas, Cádiz se queda vacía; quienes no pueden ir al teatro ven el concurso por televisión. Los grupos que participan se llaman *oficiales*. Las letras de sus canciones son muy ingeniosas y casi siempre están llenas de dobles sentidos (8).

Teresa y sus amigos también tienen preparadas canciones de carnaval, pero ellos no participan en el concurso. Pertenecen a una *murga*. Las *murgas* están formadas por grupos de amigos o familiares que van cantando sus canciones por las calles del centro de Cádiz.

El viernes por la noche nos lanzamos a la calle. Y como nosotros, salen disfrazados miles de gaditanos y visitantes. Algunos disfraces muestran mucha imaginación: de bolsa de basura, de crucigrama (9), de papel higiénico, de crema de dientes, de mesa camilla (10). Los que no tienen tiempo para hacerse un disfraz se visten de árabe, de niño, de viejo o de cualquier cosa. Otros salen a la calle con una simple máscara y un matasuegras.

En cada grupo musical, todos llevan el mismo disfraz. El grupo de Teresa va disfrazado de día nublado: llevan un vestido corto y encima una capa, todo de color azul celeste, hecho con tela brillante y medias (11) blancas. En la cabeza llevan una nube de algodón que cubre gran parte de un sol de cartón. Para mí, Teresa me ha dejado un viejo disfraz de racimo de uvas, con globos cosidos sobre la ropa.

- "Descansa un rato ahora que puedes", me ha aconsejado Teresa después del almuerzo, "que la noche es larga". Menos mal que le he hecho caso, porque no paramos durante toda la noche. Recorremos las calles del barrio de la Viña al ritmo marcado por el tambor de la *murga*. Cádiz deja de ser una ciudad y se convierte en un pueblo alrededor de las calles concéntricas que forman el barrio de la Viña. He pasado por estas calles antes, pero ahora no reconozco los sitios por donde vamos. Entre tanta gente no me oriento, andamos y andamos y volvemos al mismo sitio, o eso me parece a mí.

De vez en cuando, en cualquier esquina, nos paramos y Teresa y sus amigos interpretan sus canciones. Las canciones reproducen el habla popular de Cádiz y algunas de las anécdotas de las que hablan se refieren a escándalos políticos o los problemas del país. Otras, más locales, son desconocidas para mí y Teresa me va explicando el sentido de las letras. La gente se para a escuchar y se ríe a carcajadas (12) con las canciones. Algunos bailan con la *murga*, moviendo el cuerpo ligeramente, un paso adelante un paso hacia atrás. Entre canción y canción Teresa y su grupo dan vueltas tocando los pitos y los tambores de Carnaval.

Estos días la gente se saluda y habla en las calles aunque no se conozcan. Se mezclan entre ellos, hacen bromas, cantan y bailan juntos. Muchos representan el personaje del que van disfrazados. Un hombre vestido con traje, bombín (14) y el periódico bajo el brazo me saluda muy cortés; dos monjes anuncian el fin del mundo; un grupo liebres hacen carreras al compás de la música. Y unos cangrejos andan hacia atrás tropezando con todo el mundo.

Cuando ya casi se hace de día, vamos a casa de Teresa, después de tomar algo calentito en un bar. Teresa se ríe cuando le digo que estoy rendida (15). "Pero chiquilla (16)", me dice, "si esto no ha hecho más que empezar".

Cuando las fiestas terminan, me pregunto cómo he podido resistir tanto tiempo sin apenas dormir y creo que la risa me ha mantenido en forma. Mi cámara ha trabajado como nunca haciendo fotografías, captando la creatividad, el ingenio y el sentido del humor de los gaditanos. He cantado, he bailado, he reído sin parar.

Y después de dejar Cádiz, mientras recorro con mi cámara al hombro las carreteras de España, durante mucho tiempo llevo conmigo el recuerdo del estribillo repetido tantas veces durante estas fiestas:

"Qué bonito que es mi pueblo.

Qué bonita es mi ciudad,

que rebosa de alegría

cuando llega el Carnaval"

GLOSARIO

1.- **disfrazarse:** vestirse con ropas diferentes o divertidas para cambiar el aspecto.

2.- **mercancía:** cualquier cosa que se puede transportar y con la que se puede comerciar.

3.- **gaditana/o:** habitante de la ciudad de Cádiz.

4.- **pito:** pequeño instrumento sonoro con el que se produce, al soplar, un sonido muy agudo.

5.- **matasuegras:** tubo de papel enrollado que al soplarle por un extremo se desenrolla.

6.- **confetis:** pedacitos de papel de colores que se tiran a la gente durante las fiestas.

7.- **serpentina:** cinta larga de papel enrollada que se lanza al aire para desenrollarla durante las fiestas.

8.- **doble sentido:** frase que expresa algo más que su significado literal.

9.- **crucigrama:** juego que consiste en adivinar las palabras que van en las casillas de un papel cuadriculado, a partir de unas definiciones.

10.- **mesa camilla:** mesa redonda típica de las casas españolas que se cubre con una tela que llega hasta el suelo.

11.- **medias:** prenda de ropa que cubre las piernas y los pies ajustándose a ellos.

12.- **reír a carcajadas:** reír con risas ruidosas.

13.- **bombín:** tipo de sombrero de forma aplastada y redondeada.

14.- **alboroto:** ruido.

15.- **rendida:** muy cansada.

16.- **chiquilla:** diminutivo de chica.

A VER SI HAS ENTENDIDO

1.- Completa estas frases, según el texto:

Amy Randall llega a Cádiz ....
Teresa lleva pensando en el Carnaval..
Los Carnavales son fiestas de..
En Cádiz, la historia del carnaval comienza..................................
El ingrediente más importante en estos carnavales......................

2.- ¿Puedes hacer una lista de los disfraces que llevan los gaditanos?

¿Recuerdas de qué iba disfrazado el grupo de Teresa?

3.- ¿ Verdadero o falso?

	V	F
Las murgas están formadas por grupos de amigos	☐	☐
Por la noche las calles están vacías	☐	☐
Las canciones reproducen el habla popular de Cádiz	☐	☐
Amy lleva un disfraz de racimo de uvas	☐	☐
Entre canción y canción dan vueltas tocando pitos y tambores	☐	☐

4.- Relaciona estas informaciones.

Un hombre vestido con traje ○   ○ anda hacia atrás
y bombín
Dos monjes ○   ○ saludan
Unos disfrazados de cangrejos ○   ○ anuncian el fin del mundo

5.- Señala con una X cómo son las canciones que cantan los gaditanos en Carnaval:

☐ inventadas
☐ críticas
☐ tradicionales
☐ de moda
☐ populares
☐ locales
☐ ingeniosas
☐ anecdóticas

6.- Contesta a estas preguntas:

- ¿Cuál es el origen de los carnavales gaditanos?
- Las canciones es un elemento muy importante en el carnaval gaditano, ¿recuerdas qué se celebra en el teatro Falla?
- ¿Cómo se llaman los grupos que participan?
- ¿Qué significa que la letra de la canción tiene doble sentido?
- ¿Cómo participa la gente de las canciones de las murgas?

7- Lee estas informaciones y di cuáles son las correctas.

- Teresa se ríe de Amy al ver que está cansada y le comenta que la fiesta no ha hecho más qure empezar
- Amy no ha podido resistir tanto tiempo sin descansar y sin apenas dormir
- La cámara de nuestra reportera ha trabajado sin parar haciendo fotografías.
- Amy ha hecho muchas fotos pero no ha podido participar activamente en los carnavales.
- Cuando se va de Cádiz, Amy está contenta y satisfecha de los días que ha pasado y no puede olvidar el estribillo de la canción.

UNA CIUDAD EN LLAMAS

Las Fallas de Valencia

En Valencia, los artistas no crean sus obras de arte para exhibirlas en los museos, sino para que el fuego las destruya. Amy Randal explora la ciudad en la que el mayor triunfo de un escultor es ver su obra convertida en llamas.

El catorce de marzo tengo una cita en Valencia con Paco Fuster, que es escultor, pintor, dibujante y diseñador. Paco forma parte de un grupo de insólitos artistas que trabajan en secreto durante todo el año para crear obras de arte que miles de personas contemplarán durante las fiestas y que terminarán devoradas (1) por el fuego. Son los artistas falleros.

Paco me enseña su taller (2). Está en la Ciudad Fallera, un barrio de Valencia donde trabajan las empresas, casi siempre familiares, de artistas que diseñan y crean las fallas. Una falla es un gigantesco monumento compuesto de figuras multicolores de cartón piedra (3), de diferentes tamaños; a estas figuras se les llama en valenciano (4) *ninots.* Algunos de los *ninots* representan a personajes famosos que he reconocido en seguida, como Nelson Mandela, Felipe González o el príncipe Carlos de Inglaterra. Todos esperan para ocupar su lugar en la falla que Paco está creando para este año. En el centro del taller, una enorme cabeza de pirata será el *ninot* principal.

"La fiesta de las fallas", explica Paco Fuster, "tienen una tradición muy antigua. En la Edad Media, cuando llegaba la primavera, los carpinteros (5) quemaban los restos de madera para celebrar el final del invierno".

"Con el tiempo los valencianos empezaron a construir *ninots* de cartón y de trapo que simbolizaban personajes de la vida local y los quemaban en hogueras (6) hechas con los muebles viejos. Poco a poco la técnica perfeccionó los *ninots* y ahora las fallas son auténticas obras de arte. Todas las fallas se queman a las doce de la noche del diecinueve de marzo, el día de San José, que es el patrón (7) de Valencia y de los carpinteros".

Esa noche, voy con Paco y sus compañeros a *plantar la falla,* es decir a instalar la falla en una de las plazas de Valencia. Cargamos los *ninots* en un camión y los llevamos con cuidado al centro de la ciudad. Los artistas trabajan toda la noche instalando la falla con la ayuda de una grúa (8), colocando cada *ninot* en su sitio. Es un trabajo difícil porque algunas fallas miden hasta quince metros de altura. La falla de Paco es muy grande, y llega a la ventana del tercer piso del edificio más cercano.

Al día siguiente, cuando sale el sol, los vecinos de Valencia y los miles de turistas que vienen a las fiestas, pueden contemplar cientos de fallas en las calles y plazas de toda la ciudad y de sus alrededores. Por lo general, cada falla es una sátira (9) sobre un tema de actualidad. Muchas de las escenas representan hechos ocurridos en España, y sobre todo en Valencia durante ese año.

En los cinco días que duran las fiestas apenas duermo, porque tengo demasiadas cosas que hacer. Por las noches, en casi todos los barrios, hay castillos de fuegos artificiales (10) y verbenas (11) para bailar. Cuando terminan los bailes, voy con Paco y sus amigos a tomar chocolate caliente con churros (12) a las cinco de la mañana. Después, vamos a ver algunas fallas, antes de que se despierten los turistas, porque durante el día hay tanta gente que es muy difícil hacer fotografías.

A esas horas ya no merece la pena acostarse porque aunque quieras dormir el ruido es constante. A las siete salen los *falleros*, que son los encargados de hacer la *despertà,* es decir de despertar a todo el mundo e invitarles a unirse a la fiesta. Para eso recorren las calles tirando petardos (13). Las bandas de música les acompañan tocando una música muy alegre. Cuando pasan, ya nadie puede dormir y la música suena todo el día en los altavoces de las calles.

A mediodía junto a todas las fallas, hay una *mascletà*, que es una explosión de tracas (14) y petardos que hace vibrar las ventanas de toda la ciudad, como si fuera una batalla en una guerra.

Por fin llega el día diecinueve, el día de San José. Apenas tengo fuerzas para cargar con la cámara. Esta noche terminan las fiestas con la *cremà*, la quema de las fallas.

A las doce de la noche estoy con Paco en la Plaza de la Merced y vamos a ver quemar su falla. Primero hay un magnífico castillo de fuegos artificiales que el público aplaude con entusiasmo. A continuación, un pirotécnico (15) enciende los petardos que rodean a los *ninots*. Los bomberos han establecido una línea de seguridad y preparan las mangueras (16) atentos a cualquier incidente. Se enciende el fuego y las llamas empiezan a devorar con rapidez las figuras de cartón piedra.

En una esquina veo el *ninot* del príncipe Carlos. Las llamas empiezan a quemarlo. Quiero sacarle una foto, pero el bombero no me deja pasar. "Es peligroso", me dice. Pero yo he de sacar esa foto, me la imagino en la portada (17) de la revista. Ante un descuido del bombero, me acerco a la falla. El calor es insoportable, las llamas gigantescas. Apenas tengo tiempo de hacer la foto y la figura del príncipe cae al suelo convertida en cenizas. Pero cuando voy a marcharme, para escapar del calor, ocurre algo inesperado: otra figura que no he visto, cae detrás de mí y no me deja pasar.

Estoy atrapada en medio del fuego y no puedo salir. La gente se da cuenta y grita; el bombero, enfadado, intenta ayudarme pero las llamas no le dejan pasar. Sólo puede hacer una cosa: abre su manguera y el agua apaga las llamas que me rodean y me deja toda mojada.

Paco está furioso, casi le arruino (18) la quema de su falla, porque tiene que quemarse con elegancia, sin la intervención de los bomberos. Pero por suerte la falla sigue ardiendo y en ese momento, los espectadores empiezan a aplaudir y a gritar entusiasmados. Las llamas han llegado al *ninot* principal, la gran cabeza de pirata, que cae entera, con toda dignidad, justo en el lugar donde yo estaba segundos antes.

-"Te has librado por los pelos" (19), me dice Paco. "Ven, te invito a un chocolate caliente, que te vas a resfriar".

Dejamos a los jóvenes saltando las brasas (20) de la falla, que es la tradición después de la *cremá* y volvemos a mi hotel.

Por fortuna, el carrete sigue intacto. El mes que viene, toda Inglaterra podrá ver a su príncipe devorado por las llamas. Pero a Paco no le interesa; esa falla ya es historia para él. Ha empezado a imaginar otra falla que creará con cariño y esfuerzo para quemarla el año que viene.

GLOSARIO

1.- devorar: comer; en sentido figurado significa destruir.

2.- taller: lugar en el que se hace un trabajo manual.

3.- cartón piedra: pasta muy dura, hecha de papel, yeso, cola y agua, que se utiliza para hacer figuras y moldes. Cuando se seca se hace muy dura y puede pintarse.

4.- valenciano: dialecto de la lengua catalana que se habla en la Comunidad Valenciana. (Las palabras que aparecen en itálicas son del valenciano).

5.- carpintero: persona que trabaja la madera.

6.- hoguera: fuego hecho en el suelo y al aire libre.

7.- patrón: santo protector de un pueblo o de un grupo de personas que tienen la misma profesión.

8.- grúa: máquina que se utiliza para levantar, cargar y transportar objetos pesados.

9.- sátira: obra en la que se ridiculiza a una persona o cosa.

10.-fuegos artificiales: combinación de explosivos que producen mucho ruido y luces de colores en el cielo.

11.- verbena: baile al aire libre en las fiestas tradicionales.

12.- churro: masa hecha con harina y agua, de forma alargada que se fríe en aceite y se come normalmente con una taza de chocolate caliente.

13.- petardo: explosivo hecho con pólvora y que produce ruido sin luces de colores.

14.- traca: petardos unidos con una cuerda que explotan unos detrás de otros.

15.- pirotécnico: persona que prepara explosivos y fuegos artificiales profesionalmente.

16.- manguera: tubo largo de plástico duro, por el que pasa el agua y que se utiliza para regar o para apagar fuegos.

17.- portada: primera página de un libro o de una revista.

18.- arruinar: estropear.

19.- librarse por los pelos: salvarse por suerte de una situación difícil.

20.- brasas: trozos de madera o carbón que quedan después de un fuego; están a una temperatura muy alta y despiden una luz roja.

A VER SI HAS ENTENDIDO

1.- Marca con una X las profesiones de Paco Fuster:

- ☐ arquitecto
- ☐ pintor
- ☐ ingeniero
- ☐ escultor
- ☐ pintor
- ☐ carpintero
- ☐ diseñador
- ☐ bombero
- ☐ dibujante

2.- Contesta a estas preguntas:

¿Qué es una falla?
¿Cómo se llaman los artistas que trabajan creando fallas?
¿Dónde están los talleres de los artistas?
¿Por qué los grupos de artistas trabajan en secreto durante todo el año?
¿Cómo se llaman a los muñecos o figuras de cartón piedra?

3.- Algunos *ninots* representan personajes famosos y relevantes según el momento. Completa la lista con los que tu creas que pueden ser de interés.

Nelson Mandela
Felipe González
Carlos de Inglaterra
....

4.- Relaciona las informaciones de cada columna, según la historia.

En la Edad Media, ○   ○ en hogueras hechas con
cuando llegaba la primavera   muebles viejos

Los *ninots* se quemaban ○   ○ tienen una tradición muy
antigua

Con el tiempo los valencianos ○   ○ y ahora las fallas son
auténticas obras de arte

Las fiestas de las fallas ○   ○ empezaron a construir
ninots de cartón o de trapo

Poco a poco se perfeccionaron ○   ○ para celebrar el final de
los *ninots*   invierno, los carpinteros
quemaban los restos de
madera

5.- ¿Puedes ordenar estas frases según el texto?

☐ A las doce de la noche del 19 de marzo se queman todas las fallas.

☐ La falla de Paco es la más grande y llega a la ventana del tercer piso del edificio más cercano.

☐ Los artistas trabajan toda la noche instalando la falla, con la ayuda de una grúa.

☐ Esa noche voy con Paco y sus compañeros a plantar la falla en una de las plazas de Valencia.

☐ Es un trabajo difícil porque algunas fallas miden hastas quince metros de altura.

☐ Cargamos los *ninots* en un camión y los llevamos con cuidado al centro de la ciudad.

6.- ¿Verdadero o falso?

	V	F
Por las noches hay castillos de fuegos artificiales y verbenas	☐	☐
Cuando terminan los bailes, Amy se va a casa con Paco	☐	☐
Los turistas contemplan las fallas durante la noche	☐	☐
A las siete de la mañana salen los falleros y los encargados de hacer la *despertà*	☐	☐
Nadie puede dormir porque la música suena por todas partes	☐	☐
Está prohibido tirar petardos	☐	☐
La *mascletà* es una explosión de tracas y petardos	☐	☐

7.- Razona las siguientes preguntas.

- ¿Por qué los bomberos han establecido una línea de seguridad y preparan las mangueras?
- Amy quiere sacar una foto del *ninot* que represente al príncipe Carlos pero le ocurre algo inesperado. ¿Puedes explicarlo?
- ¿Qué quiere decir que una falla tiene que quemarse con elegancia?
- ¿En qué piensan los artistas falleros después de la *cremà*? ¿Por qué?